© *Copyright*, 2010 – João Gomes de Sá

Todos os direitos reservados. Nenhuma parte desta obra pode ser utilizada ou reproduzida sem autorização expressa da Editora.

Editora Nova Alexandria Ltda.
Av. Dom Pedro I, 840
01552-000 São Paulo SP
Fone/fax: (11) 2215 6252
E-mail: novaalexandria@novaalexandria.com.br
Site: www.novaalexandria.com.br

Apresentação: Marco Haurélio

Revisão: Thiago Lins

Capa e ilustrações: Marcos Garuti

Editoração Eletrônica: Valeriano

Dados para Catalogação

Sá, João Gomes de, 1954-

Alice no País das Maravilhas (em cordel) / Lewis Carroll; adaptação de João Gomes de Sá; apresentação de Marco Haurélio
/Ilustrações de Marcos Garuti - São Paulo: Nova Alexandria, 2010
32 p.   -(Volta e meia)

Adaptação em cordel de Alice in Wonderland / Lewis Carroll

ISBN 978-85-7492-210-2

1. Literatura infantojuvenil. 2. Literatura de cordel. Alice in Wonderland. I. Carroll, Lewis, 1832-1898. II. Marcos Garuti (ilustrador). III. Título. IV. Série.

CDD: 398.51

Índice sistemático para catalogação
027 – Bibliotecas gerais
027.625 – Bibliotecas infantis
027.8 – Bibliotecas escolares

Lewis Carroll

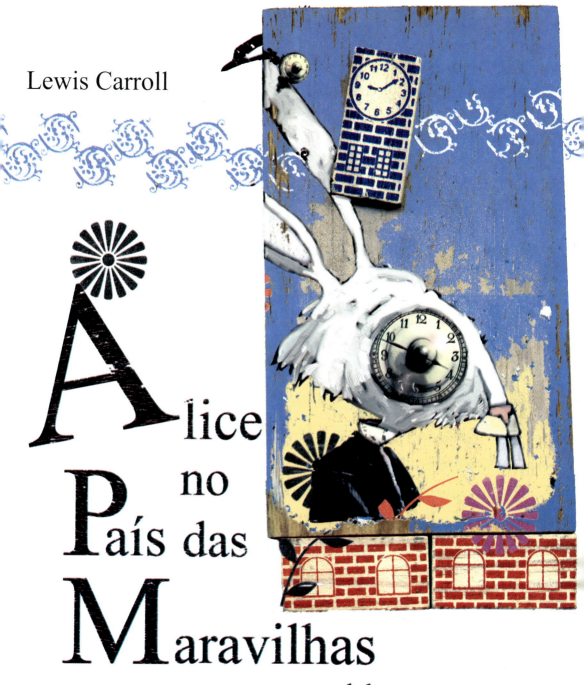

Alice no País das Maravilhas
em cordel

Adaptação de
João Gomes de Sá

Ilustrações de
Marcos Garuti

Em conformidade com a
nova ortografia

Apresentação

𝒜lice no País das Maravilhas tornou-se, desde o seu lançamento,

em 1865, um grande clássico da literatura infantil. Seu autor, o inglês Charles Lutwidge Dodgson, usou o pseudônimo literário *Lewis Carroll*. Sua obra principal, sucesso imediato e retumbante, chegou às mãos da rainha Vitória, da Inglaterra, que fez questão de conhecer as demais obras do autor. Antes de *Alice*, Dodgson escrevera apenas tratados de Matemática. A história, ao longo de mais de um século, foi adaptada várias vezes para o cinema. Virou filme de animação dos Estúdios Disney em 1951. O cineasta Tim Burton dirigiu uma versão excêntrica, que estreou em 2010. A primeira adaptação, no entanto, foi um filme mudo rodado no Reino Unido em 1903.

Como surgiu a história

Henry Liddell era deão da Church Christ, onde Carroll, seu grande amigo, lecionava matemática. Um dia o escritor convidou as três filhas de Liddell – Lorina, Edith e Alice – para um passeio de barco. As meninas, como de costume, pediram a ele que contasse uma história. A aventura imaginada por Carroll parecia não ter mais fim, pois, à medida que ia narrando, as meninas pediam mais detalhes. O passeio de barco ocorreu no dia 4 de julho de 1862 e só terminou às 8 horas da noite, quando, finalmente, Carroll concluiu a história.

As três irmãs nem imaginavam aonde ia dar a aventura daquele dia mágico. Na mesma noite, Carroll passou para o papel a história que tinha como protagonista Alice, uma das irmãs Liddell. O primeiro título – *Alice debaixo da terra* – não emplacou e o autor reescreveu a história dois anos depois, com o dobro de páginas, acrescentando novos capítulos e personagens. Em 1865, foi publicada a versão completa, com o título *Alice no País das Maravilhas*.

Alice Liddell nasceu no dia 4 de Maio de 1852 e faleceu no dia 15 ou 16 de Novembro de 1934. Ao contrário do desenho animado da Disney e da maioria das adaptações para o cinema, a Alice de carne e osso era morena.

Alice em cordel

João Gomes de Sá, um dos mais respeitados cordelistas da atualidade, é o autor da versão em cordel de *Alice no País das Maravilhas*. O poeta, atento às soluções criativas do texto original, reconstruiu algumas situações, emprestando características nordestinas à protagonista, aos personagens e cenários. O início já dá uma amostra do que vem a seguir: Alice, em perseguição ao Coelho Branco, não cai num poço, mas numa cacimba encantada. O Gato de Cheshire ou Gato Risonho, mesmo conservando o dom da invisibilidade, é um típico repentista nordestino. Para compor o personagem, João se inspirou no cantor paraibano Sebastião Marinho. Alice ainda encontra, na estranha terra, maravilhas que remetem ao clássico cordel *Viagem a São Saruê*, do poeta paraibano Manoel Camilo dos Santos (1905-1987). A estrofe, reproduzida abaixo, mostra essa fusão:

> Por lá viu rios de leite,
> Montanhas de goiabada,
> Castelos de rapadura,
> E árvores de marmelada.
> Suspirou muito porque
> Somente em São Saruê
> Tal riqueza era encontrada.

O Chapeleiro Louco, personagem de grande importância no original de Carroll, tem, aqui, "O mesmo céu estrelado/ Do chapéu de Lampião". Na versão do nosso cordelista, os tacos-flamingos e as bolas-ouriços do jogo disputado entre Alice e a Rainha de Copas se transmutam em seriemas e tatus-bolas, animais da fauna brasileira.

Quem escreveu Alice?

𝓛ewis Carroll – pseudônimo literário de Charles Lutwidge Dodgson – nasceu em Daresbury, Cheshire, Inglaterra, em 1832. Estudou no colégio Christ Church, futura Universidade de Oxford, da qual foi professor de matemática entre 1855 e 1881. Homem de muitas facetas, Carroll estudou a lógica, a matemática, a poesia, a narrativa ficcional e a fotografia. Uma de suas modelos foi Alice Liddell, filha do meio do grande amigo Henry George Liddell, inspiradora de sua personagem mais famosa. Escreveu os clássicos *Alice no País das Maravilhas* (1865) e a continuação *Alice através do espelho* (1872), além de tratados de lógica e matemática e outros livros infantis. Morreu em Guildford, Surrey, em 1898.

Alice no País das Maravilhas
em cordel

Nas veredas do cordel,
Sigo as mais bonitas trilhas,
Vou compondo minha história
Em canções e redondilhas.
E, sem cometer tolice,
Narro a história de Alice
No País das Maravilhas.

Transporto com muito gosto
Para o cordel brasileiro
História de encantamento,
Famosa no mundo inteiro,
Lewis Carroll é o autor,
Pois foi ele, meu leitor,
Quem a redigiu primeiro.

O País das Maravilhas
Tem aqui nova versão.
O verso metrificado
Da popular tradição
Apresenta como Alice
Vence o tédio e a mesmice
Com muita imaginação.

O dia acordou sem graça,
Nem cantou o bem-te-vi,
Bem distante na planície
Soluçava a juriti;
As árvores do casarão
Chamavam muita atenção
Do pequeno colibri.

Nesse velho casarão
Alice, meiga, educada,
Criatura estudiosa,
Mas um pouquinho levada,
Reside, feliz da vida,
Com a família querida,
Sendo por todos amada.

Como sempre, todo dia,
Bem no alpendre se sentou
E a sua irmã mais velha
Sem jeito se acomodou.
Estudaram a lição
Com muita disposição
Até que Alice falou:

— Resolvi toda lição
Por isso fiquei cansada.
Essa mesmice, meu Deus,
Me deixou muito enfadada!
Vamos brincar no jardim?
Minha irmã, diga que sim;
Venha, não fique parada!

Vamos lá para o jardim,
Veja que paisagem bela!
O sol afagando as nuvens,
Pintando linda aquarela.
Na hora, sua irmãzinha,
Para não ficar sozinha,
Saiu correndo atrás dela.

E, sentadas no jardim,
Fitavam a grande mata,
Mas Alice resmungava:
— Esse dia não desata!
E não é que de repente
Passa um coelho em sua frente
Trajando terno e gravata!

Passou correndo o tal Coelho,
Parecia preocupado,
Olhava para o relógio
No cinturão amarrado,
Dizendo: — Perdi a hora!
O que vou fazer agora?
Estou de novo atrasado!

Alice disse: — Danou-se!...
E atrás do Coelho correu,
Mas o danado, apressado,
Na cacimba se meteu
Alice disse: — Coitado!
Entrou no buraco errado,
O que foi que aconteceu?

Salão de rara mobília
De estilo colonial;
Uma mesa sem cadeiras
Ali na parte central
E num canto uma portinha
Toda pintada, novinha,
Na parede lateral.

Ela ainda ouvia a voz
Do Coelho engravatado
Repetindo sem parar:
— Oh céus! Estou atrasado!
Quem do relógio depende
Sua liberdade vende,
Pois assim diz o ditado!

Refazendo-se do susto,
Caminhou, com precisão,
Curiosa como sempre,
Prestando muita atenção;
Na maior tranquilidade,
Foi, com curiosidade,
Bisbilhotar o salão.

Na beirada da cacimba,
Alice chegou cansada,
Olhou tudo com cuidado
Não conseguia ver nada.
"Era um coelho?" — ela pensou.
Sem ter cuidado, encostou
Na tal cacimba encantada.

Alice viu sobre a mesa,
E ficou interessada,
Numa jarrinha de suco
Cheinha de limonada:
— Será que posso beber
Ou é melhor esquecer
Minha vontade apressada?

Aí caiu na cacimba,
Perdeu a concentração
E, conforme ia caindo,
Surgia um grande clarão.
Em vez de se esborrachar,
A menina foi parar
Num gigantesco salão.

Mas na jarra estava escrito:
"Pode beber – é verdade!"
Alice não perdeu tempo,
Lá se foi a ansiedade:
— Que gostosa limonada!
A sede foi saciada,
Matou de vez a vontade.

O seu corpo de repente
Foi crescendo sem parar,
O salão ficou pequeno
Sem espaço para andar.
Alice disse, assustada:
— Que coisa descontrolada,
Assim não posso ficar!

Com muita dificuldade
Se acomodou muito mal,
Desarrumou a mobília
Ali da parte central,
Direto foi à portinha
Toda pintada, novinha;
Da parede lateral.

Abriu a portinha e viu
Outro recanto encantado:
Um jardim muito florido
Extremamente cuidado.
Murmurou: — Eu quero ir.
Será que vou conseguir
Passar para o outro lado?

Confesso que nunca vi
Um lugar tão belo assim!
Pela portinha ela viu,
Correndo pelo jardim,
Dizendo: "Estou atrasado!",
O mesmo Coelho apressado,
Numa carreira sem fim.

—Me espere aí, senhor Coelho!
Alice logo gritou.
Porém o Coelho, correndo,
Nem sequer a escutou.
Por isso, na mesma hora
Em que o Coelho foi embora,
A pobrezinha chorou.

Ainda muito chorosa,
Encontrou ali no chão
Uma pequenina chave
Que chamou sua atenção;
— É para abrir a portinha
Mas como posso, sozinha,
Sair já desse salão?

Contudo vê sobre as lágrimas
Um potinho de alimento
Boiando na direção
Sugerida pelo vento;
No pote tinha um aviso:
Alimentar-se é preciso;
Ponha fim ao desalento!

Alice, mais que depressa,
Obedeceu ao recado,
Provando uma rapadura,
Via o corpo transformado:
Ficou tão pequenininha,
Que pôde abrir a portinha
E sair do outro lado.

— Ai, meu Deus, que água é essa?
Inda bem que sei nadar!
Ah, já sei! são minhas lágrimas
Não são as águas do mar!
De repente alguém gritou:
— Quem foi mesmo que inundou
As terras do meu lugar?

Era um rato reclamando,
Descontrolado, arredio.
Dizendo: — Detesto água
Prefiro o calor ao frio!
De protestar não parou.
Alice se aproximou
Da outra margem do rio.

— Paciência, Senhor Rato,
Para que tanta braveza?
Este rio é muito raso
E sequer tem correnteza!
O senhor venha comigo,
Pois não há nenhum perigo,
Disso pode ter certeza.

O Rato disse: — Menina,
Minha posição não muda.
Quem fez essa traquinagem
Não merece minha ajuda!
Vou atravessar o rio
Porque preservo meu brio,
Para encontrar quem me acuda!

— Mas eu preciso de ajuda —
Alice pediu assim.
— Só me responda: onde fica
Um encantado jardim,
O ninho dos beija-flores,
Aconchego dos primores,
Diga logo para mim.

— Não conheço esse jardim
E nem quero conhecê-lo!
Dê licença que já vou!
E saiu queimando o pelo.
A menininha nadava.
De longe só se avistava
O seu bonito cabelo.

Não ligou mais para o Rato,
Que não a ajudou em nada.
Seguindo a margem do rio,
Continuou a jornada.
Andou muito, confiante,
E encontrou mais adiante
Uma pequena pousada.

— Ô de casa, me responda:
Alguém aqui pode vir?
Quero saber o caminho
Pelo qual devo seguir
Para encontrar um jardim
Cheio de rosa, jasmim,
Pois para lá quero ir.

E lá de dentro alguém grita:
—Não posso lhe ajudar, não!
Arrumando o paletó,
Vestindo a luva na mão.
Era o Coelho engravatado,
Que já saiu disparado,
Sem lhe dar muita atenção.

Alice segue o danado
Na direção mais correta.
Mas o Coelho em disparada
Parece mais um atleta.
Ela o perde no percurso
De novo muda seu curso,
Sem alterar sua meta.

16

Andando por um planalto
Como quem paga promessa,
Ouve uma voz perguntando
— Por que correr tão depressa?
Sinta a brisa, sinta o vento
E viva cada momento —
Não sei pra que tanta pressa?!

— Quem fala? — pergunta Alice.
— Não precisa se esconder.
— Sou Valquíria Centopeia,
Não gosto de aparecer.
Eu cuido desta colina,
E você, bela menina,
O que veio aqui fazer?

— Olá, dona Centopeia.
É um prazer para mim,
Eu sou muito agradecida,
Pois nada aqui é ruim.
Porém só quero encontrar,
Se a senhora me ajudar,
Um encantado jardim.

Continua Alice: — Eu quero
Nada muito especial.
Ficarei mais à vontade,
Em meu tamanho normal,
Desde que aqui eu cheguei,
Muita coisa deparei,
Que nem parece real.

Informou a Centopeia:
— Esse jardim desconheço.
E ser grande ou ser pequeno
Tem seu valor, tem seu preço.
Tudo é muito relativo,
Eu mesma bem aqui vivo,
Tenho tudo que mereço.

A grandeza das pessoas
Não está no seu rebanho,
Nem tampouco na aparência,
Na perda ou mesmo no ganho.
Mas reside em cada ação
Que brota no coração
E independe de tamanho.

— Eu entendi — disse Alice —
E vou descobrir sozinha.
Esse jardim eu encontro,
Nem que me venha a morrinha.
A Centopeia então disse:
— Vou lhe auxiliar, Alice,
Porque nunca fui mesquinha.

Lá no pé da cajazeira
Um bom fruto vá colher,
Se mastigares de um lado
Logo, logo vai crescer;
Se comer do lado oposto,
Irá ter de novo o gosto
De ver seu corpo encolher.

Alice foi apressada
E boa fruta colheu.
Sem muito pestanejar,
Pegou a fruta e mordeu
E sentiu naquela hora
Que seu corpo, sem demora,
Gradualmente cresceu.

Maravilhada ficou
Com o fato acontecido.
Pegou a fruta e guardou
No bolso do seu vestido.
Recomeçando a andar,
Disse: — Agora vou achar
Meu belo jardim florido!

Saiu dali sorridente,
Com certeza, agradecida.
Contemplando a natureza
Desabafou, comovida:
— Se todo lugar da Terra
Fosse assim, não tinha guerra
—Suspirou feliz da vida.

Por lá viu rios de leite,
Montanhas de goiabada,
Castelos de rapadura,
E árvores de marmelada.
Suspirou muito porque
Somente em São Saruê
Tal riqueza era encontrada.

Caminhando por um bosque
Totalmente arborizado,
Alice teve um encontro,
No mínimo inusitado:
— Leve, entregue este convite
Para a Duquesa Judite.
Desde já muito obrigado!

Quem disse saiu correndo,
Sem ninguém poder segui-lo
Alice disse: — Está bem
Seu pedido — vou cumpri-lo;
Se eu encontrar a Duquesa,
Farei essa gentileza,
Seu honorável Esquilo.

Não demorou muito tempo,
Alice encontra o castelo:
Uma antiga construção
Bem pintada de amarelo
Na qual morava a Duquesa,
Senhora da realeza,
Com o Conde Donatelo.

Bateu palmas no portão,
Logo um criado chegou:
— É bem vinda, pode entrar;
Minha Duquesa mandou.
Alice disse: — Obrigada...
E mesmo um pouco assustada,
Naquele castelo entrou.

Na grande sala de estar,
Que parecia sem fim,
Com tapete aveludado
E cortinas de cetim,
Viu uma mesa num canto
Duas estátuas de santo
Da linhagem querubim.

Quatro poltronas em couro
Estilo xilografado,
Um grande lustre no teto
Com cristal é decorado.
Um janelão à direita
Era a moldura perfeita
Para ver todo o condado.

Alice, embevecida,
Contempla a decoração,
Registra cada detalhe
Do suntuoso salão.
Sorridente, entra a Duquesa
Dispensando gentileza,
Muita estima e atenção:

— Para mim é alegria
Visita aqui receber.
Pode sentar, não se acanhe;
Diga o que veio fazer.
Se eu puder colaborar,
Comigo pode contar
— Farei com muito prazer.

— Fico muito agradecida —
Alice falou na hora.
Só vim aqui entregar
Este convite à senhora.
— Ai, meu Deus é o convite!
— Diz a Duquesa Judite. —
— Vou me arrumar sem demora!

Esqueceu da gentileza
Da sala saiu gritando:
— Donatelo! Donatelo!
A Rainha está chamando!
O jogo vai começar,
Ninguém pode se atrasar!
Vá depressa se arrumando!

Alice deixa o castelo
E continua seguindo,
Quer encontrar o jardim,
Por isso está insistindo.
Deparou com novo fato:
Surge de repente um gato
Para ela sempre sorrindo.

Um gato muito vaidoso
Com nome de Ogima Osir.
Um galante, bom vivant,
Que gosta de dividir
O riso com as pessoas
Mostrando que as coisas boas
Gostava de repartir.

— Olha que gato engraçado!
Nunca vi tanta risada!
Um fazedor de gracejo,
Sinto-me gratificada!
Alice falou assim
— Agora, um sorriso, enfim;
Me deixa mais animada!

Discorda o Gato: — Engraçado?
Eu não sou isso somente!
Se rio, tenho motivos,
O meu riso é consequente!
Mas isso ainda diz pouco,
Pois, na verdade, sou louco
No meio de tanta gente!

Muita gente nesse mundo
Comenta: "eu não mereço",
Vive sempre a reclamar,
Construindo seu tropeço.
Comigo é bem diferente;
Corro às léguas dessa gente;
Às vezes desapareço!

O Gato era repentista,
Quando desaparecia,
Cantava para a menina
Um Coqueiro da Bahia.
Ela se entusiasmava;
Pois o danado exalava,
Só o seu riso se ouvia.

— Além de tanto sorriso,
Ainda fica invisível!
Esse gato, não sei não,
É um bicho imprevisível.
Alice continuou,
No percurso murmurou:
— Nada aqui é impossível!

Debaixo de um juazeiro,
Ela viu mais adiante,
Bem na frente de um chalé,
Um Chapeleiro galante,
Dizendo: — O tempo eu controlo
O dia, o mês desenrolo,
Como um fio de barbante!

Ninguém diga por aí
Que o tempo muda depressa!
Qualquer mudança acontece
Com a minha ordem expressa!
O meu tempo marca tudo!
Tenho prova, tenho estudo,
O tempo aqui não tem pressa!

Esse chapeleiro louco
Falava igual a um tufão.
O seu chapéu reluzia
Como as noites do sertão,
Pois o dito era enfeitado
Com o mesmo céu estrelado
Do chapéu de Lampião.

— Sirva logo o nosso chá! —
Protestou o Pelicano.
— Dormir aqui outra vez
Confesso não é meu plano.
Sempre o mesmo repertório,
Não muda seu falatório,
Mesma coisa todo ano!

Do outro lado da mesa,
A Raposa perguntou:
— Esse chá vai ser servido?
Se demorar, eu me vou!
— Chapeleiro, o tempo seu
É diferente do meu —
A Galinha comentou.

— Eu sou o dono do tempo!
O Chapeleiro repete.
— Por favor, eu não aguento;
Pare de jogar confete! —
Novamente o Pelicano.
— Seu tempo não tem engano,
Com você ninguém compete!

E Alice se aproximando
Do meio da discussão:
— Com licença, por favor,
Um minuto de atenção.
O Chapeleiro responde:
—Tu pensas que vais aonde?
Não tenho tempo mais não!

A Galinha chama Alice
Para um chazinho tomar:
— Como ele controla o tempo,
Nós devemos esperar.
O Chapeleiro decide:
— Sem revanche, sem revide,
O tempo vou liberar!

Alice nem se sentou,
Só perguntou em seguida:
— Alguém conhece um jardim
Numa chácara florida?
Quero essa informação...
A quem me ajudar, então,
Fico muito agradecida.

— Aqui ninguém sabe nada!
Ande depressa, ligeiro!
Vá atrás da Tartaruga
Na sombra do juazeiro!
Saiu Alice apressada:
Chegou à casa indicada,
Como disse o Chapeleiro.

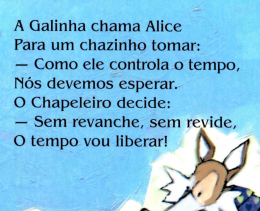

Bateu palmas sem parar.
Quando vagarosamente
Chega dona Tartaruga
Pela cancela da frente:
— Esse jardim eu conheço,
Porém, às vezes, me esqueço
Onde fica certamente.

— Por favor, tente lembrar! —
Alice ensaia um sorriso.
— Rememore, pense bem,
Puxe mais pelo juízo.
Oh, Tartaruga, me ajude!
Mostre que tem atitude,
Desse jardim eu preciso.

Reagiu a Tartaruga:
— É tudo invencionice!
Eu não sei porque você
Não descarta essa crendice!
Com licença, vou entrar,
Se não pude lhe ajudar,
Me desculpe, dona Alice.

— Obrigada, Tartaruga —
Disse Alice: — Vou partir.
Encontrar esse jardim
Ainda vou conseguir.
Vê logo o Coelho correndo,
A mesma fala dizendo —
Nem preciso repetir.

— Desta vez eu te acompanho
Oh! Coelhinho corredor!
Agora estou preparada,
Acredite, sim senhor!
Eu posso não ser atleta,
Mas vou cumprir minha meta,
E seja lá como for!

Corre o Coelho novamente,
Sob um céu tão azulado,
Pelo meio de alamedas,
Por um planalto gramado.
Ele não está sozinho,
Pois agora em seu caminho
Corre Alice do seu lado.

Por fim o Coelho chegou
Num estádio tipo arena.
A multidão inicia
Ritmada cantilena,
Mas só para de cantar,
De aplaudir e de gritar,
Assim que ele entra em cena.

— Muita atenção todo mundo:
Cada qual no seu lugar!
Minha querida Rainha,
Nesta arena pode entrar!
Rufem agora os tambores
E que entrem os jogadores
O jogo vai começar!

O Coelho era o juiz
Dando ordem e instrução.
Sugeria aos jogadores
Com a maior discrição:
— Só joguem para perder,
Se querem sobreviver,
Não acertem nada, não.

Tocando o taco na bola,
A bola sendo tacada,
Se cair dentro do cesto,
É a perfeita jogada.
Quem da Rainha ganhar,
Ela manda degolar
Foi essa regra ordenada.

E a Rainha de Copas,
Ninguém podia vencer?
Também pudera, leitor;
Quem ganhasse ia morrer.
Mas Alice, ali num canto,
Pensava: "Eu me garanto,
Se eu jogar não vou perder".

O jogo perdia a graça,
Só a Rainha vencia.
O Coelho gritou então:
— A Rainha desafia!
Tem alguém na arquibancada
Para entrar nessa jogada?
Porém, ninguém respondia.

Alice quebra o silêncio:
— Senhor Coelho, eu pretendo
Participar desse jogo,
De taco também entendo.
E desceu da arquibancada,
Por todos ovacionada,
Entrou na arena correndo.

— Das regras você entende?
O Coelho, então, perguntou.
E, muito discretamente,
Para Alice sussurrou:
— Jogue despreocupada,
Não acerte uma tacada...
Mas Alice nem ligou.

(É preciso este parêntese
Para entender o poema:
A bola era um tatu-bola,
O taco uma seriema.
Vendo tanta patacoada,
Alice cai na risada,
Com o esquisito esquema.)

A Rainha ordenou: — Pegue,
Aqui está o seu taco.
— Obrigada — disse Alice. —
Nesse jogo não empaco.
E, na primeira jogada,
Numa brilhante tacada,
A bola foi pra o buraco.

Taco vai e taco vem,
Mas o taco não se enrola,
A Rainha nunca vira
No cesto entrar tanta bola.
Alice fez tanto ponto,
Que o Coelho ficou tonto;
Quase lhe funde a cachola.

A plateia emudeceu,
Já prevendo a consequência.
A Rainha, dessa vez,
Não pensaria em clemência.
Seria o momento exato,
Para apresentar, de fato,
Toda sua truculência.

— Cortem a cabeça dela!
Não podia me vencer!
Era a ordem da Rainha,
Demonstrando seu poder.
Alice não entendeu;
Só porque ela não perdeu,
Podia agora morrer?

O Rei de Copas pediu:
— Meu bem, perdoe a pequena.
— Calado! — grita a megera.
— Decapitem-na, sem pena.
Os valetes se achegaram,
Um a um, se perfilaram
Naquela esquisita arena.

Mas o Gato sorridente
Apareceu no momento.
O Chapeleiro, na hora,
Parou o tempo e o vento.
Disse o Gato: — Está errado;
Pois ninguém é condenado
Sem antes ter julgamento.

— Que julgamento, que nada!
Não quero ouvir sua loa! —
Bradou de novo a Rainha.
— Que proposta mais à toa!
Ponho fim nessa querela:
Cortem a cabeça dela!
Não quero aqui má pessoa!

— Vamos ouvir as pessoas
— Ponderou o Chapeleiro.
— Alguém quer testemunhar
Ou ser breve conselheiro?
A Duquesa, então, falou:
— Com a Rainha eu estou;
Nosso reino vem primeiro!

Depois falaram a Galinha,
Tartaruga, Centopeia.
O Rato chegou ali
Azoretado da ideia,
Dizendo: — Estou resfriado,
Meu lar está encharcado,
É culpa desta plebeia!

A Raposa complementa:
— Essa menina é tão má,
Nem me conhece direito,
Chegou tomando o meu chá.
Rainha, conte comigo;
Sou a favor do castigo,
Cumpra-se a sentença já!

A Rainha deu um grito,
Com sua voz de trovão:
— Está posto o veredito!
Soldados, entrem em ação!
Alice saiu correndo,
Dos soldados se escondendo
No meio da multidão.

Os soldados viram que
Teriam muito trabalho.
Reuniram-se os valetes,
E um coringa espantalho.
Alice estava cansada,
Disse: — Serei descartada
Desse esquisito baralho!

Foi ficando encurralada,
De tanto medo tremeu.
Pegou a fruta no bolso,
Grande pedaço comeu.
Tornou-se logo um gigante,
O batalhão, num instante,
Deu meia volta e correu.

Alice falou: — Agora
Entendo: não sou bem-vinda.
Sou igual um bonecão
Dos carnavais de Olinda,
Só que lá tem um enredo
E todos dançam sem medo,
Mas o medo hoje aqui finda.

Estão todos assustados,
Até de medo tremendo.
Fica Alice comovida;
Pega a fruta, vai comendo
E logo volta ao normal,
Porém, o Coelho, o tal,
Passa por ali correndo!

—Eu tenho outro compromisso;
Com licença, minha gente!
E saiu em disparada,
Quero dizer, de repente.
O Coelho andando apressado.
Alice disse: — Coitado!
Atrasado novamente...

Naquilo, escuta uma voz,
No meio da correria:
— Volte para casa, Alice;
E deixe de estripulia!
Sentiu a brisa soprando,
Viu uma ovelha passando
Perto de onde ela dormia.

Não viu mais o Coelho Branco,
Nem mesmo o Gato Risonho,
A Duquesa ou a Rainha,
Com o seu grito medonho;
E pensou encabulada:
"Toda essa história encantada
Foi realidade ou sonho?".

Fim

29

Quem é o autor?

João Gomes de Sá nasceu em Água Branca, no sertão alagoano, no dia 9 de maio de 1954, e mora em São Paulo. Em 1977, trabalhou no Museu de Antropologia e Folclore Dr. Théo Brandão, quando conheceu as manifestações de cultura espontânea de seu povo. É por isso que, volta e meia, o que escreve revela influência do folclore da região Nordeste. João Gomes, além de poeta, é dramaturgo e xilógrafo.

Além das atividades como professor de Português, dá orientações técnicas sobre o folclore e ministra oficinas sobre cordel. Utilizando elementos da cultura popular escreveu *Ressurreição do boi*, *Canto guerreiro*, *Meu bem-querer* e os cordéis *A briga de Zé Valente com a Leide Catapora*, *O Cordel: sua história, seus valores* (com Marco Haurélio) e *A luta de um cavaleiro contra o Bruxo Feiticeiro*. Para a coleção Clássicos em Cordel (Nova Alexandria), adaptou *O Corcunda de Notre-Dame*, de Victor Hugo.

Quem é o ilustrador?

Vencedor do 12° Troféu HQ MIX (prêmio dedicado aos criadores dos quadrinhos), o paulistano Marcos Garuti adora desenhar. Colaborador das mais variadas publicações, ilustrou para a Editora Nova Alexandria os livros *Contos de escola*, *Poemas para enrolar a língua*, *Lugares incríveis para brincar antes de crescer*, e agora se encontrou com *Alice no País das Maravilhas*. Além do desenho, Garuti dedica-se também à sua coleção de brinquedos do Batman.